Nous remercions le ministère du Patrimoine canadien,
la SODEC et le Conseil des Arts du Canada
de l'aide accordée à notre programme de publication

ainsi que le gouvernement du Québec
– Programme de crédit d'impôt
pour l'édition de livres
– Gestion SODEC.

Nous reconnaissons l'aide financière
du gouvernement du Canada
par l'entremise du Programme d'aide au développement
de l'industrie de l'édition (PADIÉ) pour ce projet.

Illustration de la couverture
et illustrations intérieures :
Caroline Merola

Couverture :
Conception Grafikar

Édition électronique :
Infographie DN

Dépôt légal : 1er trimestre 2008
Bibliothèque nationale du Canada
Bibliothèque nationale du Québec

1234567890 IML 098

Valéria
et la note bleue

COLLECTION
PAPILLON

**Catalogage avant publication
de Bibliothèque et Archives Canada**

Vadeboncœur, Diane

      Valéria et la note bleue

      (Collection Papillon ; 136)
      Pour les jeunes de 9 à 12 ans.

      ISBN 978-2-89633-047-8

      I. Merola, Caroline. II. Titre III. Collection : Collection
      Papillon (Éditions Pierre Tisseyre) ; 136.

PS8643.A339V34 2008   jC843'.6   C2007-941549-0
PS9643.A339V34 2008

Valéria
et la note bleue

roman

Diane Vadeboncœur

ÉDITIONS
PIERRE TISSEYRE

9300, boul. Henri-Bourassa Ouest, bureau 220
Saint-Laurent (Québec) H4S 1L5
Téléphone : 514-335-0777 – Télécopieur : 514-335-6723
Courriel : info@edtisseyre.ca

Avant-propos

« *Chopin est au piano. Il ne joue pas tout de suite. Il improvise quelques mesures, il tâtonne, il cherche sa note bleue, c'est-à-dire la tonalité exacte ou la sonorité précise qui vont établir une correspondance mystérieuse entre l'ambiance et son inspiration. Dès qu'il a trouvé la note bleue, alors la musique jaillit.* »

(Bernard Gavoty,
Dix grands musiciens, Paris,
Gautier-Languereau, 1962, p. 120)

« *Le piano est mon deuxième moi.* »

(Chopin, *in* Dieter Hildebrandt,
*Le roman du piano
du XIXe au XXe siècle*,
Arles, Actes Sud, 2003, p. 99)

I

Chambre rose
Le tutu rose

2000-2001

1

Au zoo

L'été de ses sept ans, Valéria, ses parents et Cathy, cinq ans, vont au zoo. Cathy se gave de barbe à papa rose, Valéria, de crème glacée à la fraise...

— En vacances, on peut faire des petites folies! ont déclaré la mère et le père.

Toute la famille est d'humeur joyeuse. Main dans la main, Cathy, le nez collé à la barbe à papa, et Valéria, dégustant son trésor dégoulinant, poursuivent leur visite des animaux : les lions, les tigres, les éléphants, les singes, les poissons et les autres créatures marines du Grand Aquarium. Valéria sait déjà beaucoup de choses à leur sujet car depuis toujours, chaque soir, pour l'aider à s'endormir, Évelyne, sa mère, ou David, son père, lui racontent des histoires pleines de jolies bêtes. Les voir pour de vrai et entendre leurs cris comblent la petite fille de joie.

La visite se termine au Sanctuaire des oiseaux. Il y en a des centaines et chacun d'eux a son chant bien à lui. Évelyne les photographie. Elle est heureuse d'en voir, car elle se passionne pour l'ornithologie*[1]. Dès que la famille sera de retour à la maison, Évelyne se plongera dans ses livres pour identifier chacun des spécimens sur ses photos.

Au loin s'ébattent de grands volatiles roses, gracieux, avec de longues pattes…

— Des flamants roses ! s'exclame la mère.

---

1 * Les mots suivis d'un astérisque sont expliqués dans un lexique à la fin.

Valéria n'en avait jamais vus. Elle les regarde sans respirer. Son cœur est tout chaud. C'est la première fois qu'elle voit des oiseaux qui dansent! Et ce rose, tout ce rose!

2

Les cours
de danse classique

Comme ceux des grands flamants roses, les pieds de Valéria sont agiles. Elle aime évoluer dans l'espace, déployer ses bras, ses jambes. Depuis l'automne, elle suit des cours de danse classique au studio de Mme Irène. Marie-Luce, la fille d'un couple d'amis d'Évelyne et de David, y est déjà depuis l'âge de quatre ans. Elle a maintenant onze ans. Valéria l'admire. Marie-Luce est gracieuse et lui a montré ce qu'elle sait faire.

Les parents de Valéria ont été d'accord pour que leur fille aînée suive des cours de danse. Ils espèrent que cela l'aidera à sortir de sa coquille, car Valéria est un peu timide. Elle n'ose pas aller vers les inconnus. Heureusement, Mme Irène est tellement gentille que Valéria se sent bien en sa compagnie.

Valéria adore danser, mais elle est souvent distraite. Parfois, les pieds de Valéria s'emmêlent alors qu'elle danse sur la musique de Mme Éliane, l'accompagnatrice qui joue du piano.

— De la concentration, Valéria, lui rappelle alors Mme Irène. Allons, reprenons…

La danse classique, c'est exigeant et passionnant à la fois. Valéria apprend les mouvements des pieds, des bras, les sauts, les entrechats*, les arabesques*.

La fillette suit des cours depuis trois mois déjà lorsque arrive Noël. Pendant le réveillon, sa mère lui chuchote quelques mots à l'oreille…

— S'il te plaît, chérie, danse le numéro que tu as appris chez Mme Irène.

Valéria panique durant quelques secondes. Elle a envie de pleurer, mais Évelyne l'encourage. Alors, la petite s'installe au centre du salon et exécute son numéro sur l'air de *L'enfant au tambour**, cette belle chanson de Noël.

Tous les membres de la famille l'applaudissent. Évelyne la serre très fort dans ses bras.

— Tu vois, tu as réussi, lui dit-elle.

Valéria se sent légère. Elle est très fière d'elle. Ah ! Comme elle aime danser !

3

Chambre blanche, nuit blanche

L'hiver de ses sept ans, en février, Valéria est allée pour la première fois dormir chez Marie-Luce, qui la considère comme une petite sœur. Contrairement à Valéria qui partage sa chambre avec Cathy, Marie-Luce a une chambre-à-elle-toute-seule dans une belle maison toute blanche en dehors et en dedans. Tout ce blanc. En dehors : la brique, la porte décorée de rosettes blanches, les cadres de fenêtres blancs... avec toute cette neige en plus ! En dedans : le salon, meublé de blanc, un tapis blanc, un piano à queue blanc, même les fleurs sur la belle table de verre, les murs blancs. Cuisine impeccable : blanc le frigo, blanche la cuisinière, vaisselle blanche.

Valéria se souvient du conseil de tante Solange, sa marraine, au mariage d'oncle Charles : « Fais attention à ne pas salir ta belle robe blanche ! » Valéria suit Marie-Luce jusqu'à sa chambre-à-elle-toute-seule, espérant y trouver un peu de couleur, mais la pièce est immaculée. Les meubles, les couettes des lits jumeaux, les rideaux : tout est blanc.

Marie-Luce est heureuse d'avoir une invitée ce soir. Elle s'endort dès qu'elle dépose sa tête sur l'oreiller.

Valéria, elle, n'arrive pas à s'endormir dans cette chambre. Cela ne lui est jamais arrivé. Pourtant, lorsqu'elle va dormir chez ses grands-parents avec Cathy, elle n'a aucun problème à trouver le sommeil ! Mais ce soir, elle pense sans arrêt au « blanc partout ».

Elle s'ennuie de ses parents, de Cathy, de leur chambre aux couleurs jaune, orangé et vert, et de sa chatte Brioche, qui a une belle fourrure rousse dorée, marbrée en spirales comme les brioches à la cannelle!

Mais, surtout, ce blanc ne lui fait pas bonne impression. Elle n'arrive pas à s'en détacher. Elle se sent nerveuse et pleure doucement. Marie-Luce ne l'entend pas.

Valéria n'ose pas la réveiller. Alors elle se lève et regarde la neige tomber à travers la fenêtre. Tout ce blanc. Tout ce froid. Elle frissonne. Elle s'installe dans le fauteuil près de la fenêtre, se recroqueville sous une couverture blanche. Quand le soleil pointe à l'horizon, elle finit par s'endormir.

Elle est épuisée lorsqu'elle arrive chez elle, en sanglotant.

— Je n'ai pas dormi cette nuit! confie-t-elle à sa mère.

— Une nuit blanche! réplique celle-ci.

Chambre blanche, nuit blanche. Maman sait donc ce que c'est qu'une nuit blanche, conclut Valéria.

— Tu as eu peur? Tu t'ennuyais de nous? Tu as pleuré? Pauvre petite, viens que je te console. Hier, tu semblais si contente de l'invitation de Marie-Luce.

Ah! comme Valéria se sent bien dans les bras de sa mère.

— Tu aurais pu nous téléphoner. Nous serions allés te chercher, mon ange, dit David.

Comment se fait-il que je n'y aie pas pensé! songe Valéria.

— Tu verras, quand tu seras plus grande, tu pourras dormir chez Marie-Luce sans problème. Et un jour, tu auras, toi aussi, ta chambre-à-toi-toute-seule. C'est très important que tu aies une pièce pour toi. C'est pour ça que ton père et moi économisons. Nous rêvons d'acheter une maison.

Et Évelyne se met à parler de sa demeure de rêve. Elle parle, parle...

Valéria n'écoute pas. Elle s'interroge... *Et si Marie-Luce avait pleuré, ses parents l'auraient-ils entendue ? Pleure-t-elle parfois ? Elle semble toujours heureuse... Pourquoi est-ce si important d'avoir une pièce pour soi ? Je ne sais pas, mais ma chambre ne sera pas toute blanche. Ça non !*

4

Le Ballet
de l'aquarium

Évelyne et David sont jeunes et enjoués. Ils parlent tout le temps, bien qu'ils ne s'entendent pas sur tout. Lorsqu'ils se querellent, la réconciliation ne tarde jamais à venir. C'est comme ça quand on est follement amoureux!

Ils travaillent très fort, tous les jours de la semaine, pour des revenus modestes. Durant le week-end, ils se consacrent à la famille. Le dimanche matin, depuis mars, Évelyne emmène

Valéria au studio de danse pour la répétition, car le gala de fin d'année approche. Mme Irène et Mme Éliane préparent un spectacle extraordinaire. Mme Irène a créé une chorégraphie très chouette sur la musique du *Carnaval des animaux**.

D'abord, elle fait entendre au groupe le disque compact, version intégrale avec orchestre. Mme Éliane joue ensuite une transcription plus lente pour piano solo.Valéria cherche à identifier les animaux du zoo. Elle se souvient de sa visite de l'été.

Mme Irène annonce que Marie-Luce sera le cygne, car il s'agit d'un rôle pour une danseuse sur pointes*.

Marie-Luce, en tutu blanc… bien sûr ! se dit Valéria.

Mme Irène fait ensuite improviser chaque élève. Comme c'est drôle ! Valéria mime un lion, une tortue, un kangourou et un poisson de l'aquarium.

La musique est magique. Si inspirante, si douce. Elle revoit les poissons du Grand Aquarium du zoo. Il y avait là des poissons tropicaux tout roses ! Elle les imagine onduler et tourbillonner au son de la musique. Et la voilà qui ondule et tourbillonne à son tour dans le studio. Les miroirs brillent comme de l'eau... Valéria découvre ce qu'elle désire : être un poisson !

Mme Irène observe Valéria et comprend aussitôt que la petite espère le rôle du poisson.

— Alors, Valéria, ça te plairait d'être un poisson ?

— Un poisson rose, oui !

— Tu seras donc un poisson... un poisson rose éblouissant, oui, cela t'ira parfaitement. Annie et toi danserez le Ballet de l'aquarium.

Valéria est folle de joie. Elle sait déjà que tante Solange lui confectionnera un magnifique costume de poisson. Solange est couturière et a des doigts de fée. Valéria lui demandera un tutu rose avec un bustier de satin rose et des chaussons roses.

Le père de Valéria arrive un soir avec une surprise pour toute la famille. Il a acheté un aquarium et des poissons tropicaux, dont plusieurs sont roses. Il se passionne maintenant pour les poissons et s'est procuré des livres d'ichtyologie* pour mieux les connaître et les identifier.

Pendant les semaines qui suivent, Valéria ne cesse de surveiller les poissons, surtout les barbus rosés. Elle répète en écoutant le disque compact du *Carnaval des animaux*, un cadeau de sa grand-mère. Elle adore le violon, le piano et le célesta* du Ballet de l'aquarium. «Le célesta..., musique fine et tendre, musique du ciel et de la mer», a expliqué Mme Éliane.

Valéria danse son rôle avec un bonheur inouï. Toute cette beauté, cette grâce! Elle se sent poisson. Pourtant, elle ne sait toujours pas nager!

5

Le tutu rose

Depuis mars, les dimanches sont très occupés. Après chaque répétition, Valéria et les siens prennent le repas de midi chez les grands-parents Morel ou chez les grands-parents Robert. Ensuite, la petite famille visite des maisons et condominiums qui sont à vendre. En effet, les parents ont décidé d'aller de l'avant : ils veulent acheter une demeure et devenir propriétaires !

Le jour du gala, au mois de mai, Valéria porte enfin son costume. Sur le tutu mi-long rose, tante Solange a cousu des écailles de nacre rose, des nageoires roses et une queue en satin rose. Valéria arbore également un bandeau en paillettes roses qui retient sa chevelure.

Ses parents, sa sœur, tante Solange, ses quatre grands-parents sont là.

— Tu deviens une belle jeune fille, Valéria, la complimente son père.

— Une jeune fille-poisson! La Petite Sirène*! lance Cathy à la blague.

Valéria s'esclaffe et tout le monde fait de même.

Mme Éliane est accompagnée de ses amis musiciens. Ils forment un quintette*: piano, flûte traversière, violon, violoncelle et célesta. Quelle belle surprise!

Annie et Valéria réussissent leur duo. Valéria a toujours le cœur chaud lorsqu'elle entend «sa» musique. Elle se sent plus que jamais un poisson en cette soirée de gala. Elle a l'impression d'être importante. De son côté, Marie-Luce se surpasse. Elle est radieuse lorsqu'elle danse. On dirait véritablement un cygne glissant sur l'eau...

La grande finale arrive. Tous les amis, les «animaux», s'animent, car c'est le carnaval. Ils dansent le cancan*!

Pour Valéria, c'est une joyeuse façon de terminer sa première année de cours de danse classique !

6

Chambre rose

Du début de mars à la fin de juin, la famille visite huit maisons et douze condos. Chaque fois, Valéria regarde quelle serait sa chambre-à-elle-toute-seule. Aucune chambre-toute-blanche... Cependant, malgré tous leurs efforts, le temps passe sans qu'Évelyne et David trouvent ce qu'ils cherchent. Finalement, les Robert-Morel n'ont pas acheté de maison en 2001. Valéria est un peu déçue. Elle avait beaucoup aimé une chambre, dans un cottage, au deuxième étage. La première pièce à droite, peinte en vert fluo!

— Une chambre d'ado, avait expliqué l'agent immobilier, une belle pièce, une vue superbe sur la montagne!

Valéria avait fermé les yeux, puis... les murs étaient devenus roses comme par magie. Roses. Souvenirs des flamants roses, des poissons roses, de son tutu rose. Elle avait imaginé des rideaux blancs à petits pois roses. Une couette fleurie de roses roses, Brioche couchée en boule tout près de la porte, un vent léger faisant danser les rideaux. Elle s'était vue le soir, lisant *Mary Poppins**, le livre préféré de ses sept ans.

— Trop cher! avait lancé David. Il faudrait travailler encore plus. Puis, c'est loin de l'école.

Valéria avait été désappointée, mais elle avait compris. Elle ne voulait pas que ses parents travaillent davantage. Et puis, elle ne savait pas vraiment pourquoi cela est important d'avoir un coin pour soi.

II

**Chambre jaune
Le voilier jaune**

2001-2002

1

Au Lac-aux-Renards

Les mois se sont succédé et juillet est revenu. Valéria a maintenant huit ans. Avec l'argent qui était prévu pour le déménagement qui n'a pas eu lieu, les Robert-Morel vont passer deux semaines au Lac-aux-Renards, à la campagne. Évelyne et David ont choisi de joindre l'utile à l'agréable : ils ont pensé faire l'expérience d'une maison louée où Valéria et Cathy auraient chacune leur chambre. Les poissons de l'aquarium sont soignés par tante Solange, mais Brioche et Mademoiselle Caprice sont venues avec la famille. Mademoiselle Caprice est noire et blanche avec de magnifiques yeux bleus. C'est la nouvelle chatte de Cathy.

o

Durant le trajet jusqu'au chalet, Valéria pense à Marie-Luce et à sa chambre-blanche-à-elle-toute-seule. Elle refuse toujours d'aller dormir chez Marie-Luce, sachant trop bien ce qu'une nuit blanche signifie : ne pas dormir de la nuit. Tante Solange a beau affirmer que les insomnies n'ont rien à voir avec la couleur blanche, Valéria en doute encore.

Tout ce blanc... ce vide... cette absence de couleur, de vie... ce trop parfait qu'il ne faut pas salir. Rien que d'y songer, elle se sent mal à l'aise et triste.

Il n'y a pas longtemps, Valéria a demandé à Marie-Luce :

— Tu aimes le blanc ?

— Oui, c'est très bien comme ça, je t'assure. C'est chic, c'est simple, c'est clair.

Valéria a alors pensé : *Marie-Luce semble heureuse, paisible. Mais elle ne l'a pas choisi, ce blanc, c'est l'idée de ses parents !*

— Alors, tu viendras samedi prochain ? a insisté Marie-Luce.

Valéria a fini par céder.

— Oui, j'irai un jour, mais pas samedi prochain. On verra.

— Mais Valéria, tu as peur... de quoi au juste ? lui a alors lancé Marie-Luce avec un petit sourire.

o

— Au Lac-aux-Renards, il doit y avoir des renards, affirme Cathy avec une crainte évidente.

Valéria attend la réponse en faisant semblant de ne pas être intéressée.

— Non, chérie, c'était il y a long-temps. Il n'y en a plus. Sois tranquille ! répond David.

Cathy est tout à fait rassurée. Valéria, un peu moins.

Il fait presque nuit lorsqu'ils arrivent. La maison surplombe le lac. C'est une authentique maison québécoise blanche au toit de tôle rouge, mais elle est petite.

Y a-t-il vraiment de la place pour trois chambres dans cette demeure?

Il y a bien trois chambres. Celle d'en bas, avec une couette rayée verte et blanche, sera pour David et Évelyne. Les deux d'en haut, plus étroites, seront pour les filles. Une des pièces est tapissée de fleurs mauves. La couleur préférée de Cathy. Elle y entre et s'assoit comme si elle était chez elle.

— C'est beau, dit Cathy en riant.

Valéria s'installe dans l'autre pièce tapissée de fleurs multicolores.

— Très joli! s'exclame-t-elle.

Alors que tout le monde se met au lit, Brioche fuit Mademoiselle Caprice, qui désire dormir près d'elle. Or, Brioche veut la paix. Elle n'accepte pas encore cette petite boule noire et blanche. Après tout, elle était chatte unique jusqu'à l'arrivée de Mademoiselle Caprice! Brioche s'installe finalement dans la chambre de Valéria et Mademoiselle Caprice, dans la chambre de Cathy.

Valéria réfléchit... *J'avais un an et demi quand Cathy est née. Je ne me souviens pas d'avoir eu ma chambre-à-moi-toute-seule avant l'arrivée de ma sœur. J'en parlerai à mes parents.*

Ce soir-là, elle se rend compte qu'elle aime avoir sa sœur près d'elle, la nuit, dans leur lit superposé. Elle en haut, Cathy en bas. L'isolement lui fait un peu peur. Et puis, les renards... est-ce bien certain qu'il n'y en a plus? Elle ferme les yeux et sent le vide de la chambre de Marie-Luce. Puis, elle imagine Évelyne ainsi que David dans la chambre à la couette rayée et Cathy qui, sans doute, dort déjà dans la chambre aux fleurs mauves. Elle se sent déjà mieux.

Valéria respire bien profondément, comme elle l'a appris au cours de danse:

41

inspire, expire, inspire… Elle s'endort et rêve qu'elle se trouve dans la chambre rose, celle qu'elle habite dans sa tête. Et elle danse en tutu rose au milieu de flamants roses. Un songe magnifique.

Au réveil, elle est entourée de fleurs multicolores. Une explosion de couleurs!

Toute la famille a bien dormi.

— La campagne, c'est la santé, déclare David en se levant.

Les vacances peuvent enfin commencer pour de vrai. La consigne pour le séjour au lac est: REPOS! Évelyne, David, Cathy et Valéria sont fatigués. Pas de télé ni d'ordi. Pour se distraire, les livres, la radio et le lecteur de disques compacts suffiront: jazz, tango, valse. Deux semaines en musique et en couleurs attendent Valéria…

2

Apprendre
à nager

Au Lac-aux-Renards, la famille est enveloppée de couleurs joyeuses.

Des fleurs rouges dans la maison. Dehors, des champs de fleurs sauvages de toutes les couleurs. Une plate-bande de roses trémières* jaune pâle plus grandes que Cathy. Un champ de maïs vert. La pluie qui tombe parfois sur le lac argenté. Le soleil qui luit à travers des arcs-en-ciel géants comme Valéria n'en avait jamais vus jusqu'ici. Un arc-en-ciel foncé et un arc-en-ciel pâle aux couleurs pastel.

— J'aime les couleurs! déclare-t-elle.

Évelyne et David échangent un regard complice.

Dès le premier jour, sur la plage de sable doré et grège, la mère et le père de Valéria installent leurs chaises longues sous le grand parasol et se mettent à lire. Valéria en maillot rose et Cathy en maillot mauve vont patauger au bord du lac.

Le soleil réchauffe le corps de Valéria. Comme cela est bon!

— Cathy et Valéria, vous allez apprendre à nager, annonce David en déposant son roman.

Le lac est calme en ce bel après-midi. L'eau est un peu froide. Valéria s'y élance comme le poisson rose du *Carnaval des animaux*. Mais nager n'est pas aussi simple qu'elle l'aurait cru! De son côté, Cathy apprend rapidement. Elle flotte déjà. Valéria y parvient, mais il faut que son père soit tout près d'elle.

— Cathy est une nageuse-née, dit David. L'eau est son élément.

— Nous l'inscrirons à des cours de natation cet automne, propose Évelyne, toujours sous le parasol.

3

Le voilier jaune

Au matin du quatrième jour, Valéria s'aperçoit que Brioche n'est pas dans la maison. Elle l'appelle. Pas de réponse. Brioche s'est échappée. Dehors, Valéria voit des traces de pattes sur le sol. Avec son père, elle suit la piste qui se perd dans le champ de maïs. Valéria est inquiète.

— Ta chatte reviendra... Elle a voulu connaître son nouveau territoire, c'est tout, lui promet Évelyne.

En ville, le territoire de Brioche s'arrête au balcon de l'appartement. Et jusqu'à ce jour, à la campagne, Brioche ne dépassait pas les limites de la plate-bande.

Peut-être qu'elle n'est qu'à quelques mètres de nous, se dit Valéria.

Sur la terrasse, elle installe un plat avec la nourriture préférée de la chatte et l'appelle en faisant plusieurs fois le tour de la demeure.

Ce jour-là, Valéria n'arrive ni à lire, ni à danser, ni à écouter de la musique. Elle ne peut rien manger. Elle ne boirait même pas, mais sa mère la force à ingurgiter de la limonade. Elle ne voit plus les fleurs, ni la lumière faisant briller les feuilles des arbres, ni les voiliers sur le lac.

Mademoiselle Caprice miaule toute la journée. Cathy fait de son mieux pour la réconforter.

Évelyne et David consolent Valéria.

— Elle reviendra, les chats ont un sens inné de l'orientation! répètent-ils, l'un et l'autre.

Ils n'en savent rien, songeValéria. *Ils veulent seulement me calmer parce qu'ils savent combien je suis attachée à Brioche.*

Ah ! si au moins elle avait de l'expérience pour survivre dans la nature ! Pourquoi est-elle partie ? Elle en avait assez de nous ou de Mademoiselle Caprice ? Elle a profité de cette occasion unique pour aller à l'aventure ?... Peut-être a-t-elle rencontré un renard !

Valéria est prise de panique.

— Et s'il y a des renards... ou juste un seul qui rôde ? demande-t-elle à son père.

— Valéria, je te jure qu'il n'y a pas de renards ici... Elle a seulement voulu un peu de liberté... Elle reviendra... affirme David.

o

Vers la fin de l'après-midi, les Robert-Morel sont installés sur la terrasse pour le dîner. Valéria est si malheureuse ! Elle picore dans son assiette.

Le soir s'installe doucement.

— Elle est rusée, Brioche. Elle s'est sûrement trouvé un bon poisson sur le bord du lac, dit Évelyne.

Le lac ! Voilà sûrement l'endroit où trouver Brioche. Le lac est à 200 mètres de la maison. Valéria connaît le chemin.

Elle y court… Son père la suit. Elle scrute la grève et découvre des traces de pattes de chat sur le sable. Ce sont les mêmes qu'elle a vues ce matin, avec une foulée* allongée.

— Brioche est là! s'écrie Valéria en pointant du doigt la chatte assise sur la plage, occupée à admirer le coucher du soleil à l'horizon.

Brioche ne bouge pas. Ses yeux verts pétillent.

Distingue-t-elle les couleurs? se demande Valéria

— Là, tu vois. Elle est allée à l'aventure! Je vous laisse, dit David en repartant vers la maison.

Valéria s'approche doucement de Brioche.

Elle ronronne, elle est heureuse, constate Valéria. *Elle a voulu être seule. Elle était bien sans nous… Ah!*

Valéria, sous le choc de cette révélation, s'installe près de sa chatte et, ensemble, elles regardent le coucher de soleil. Un voilier jaune solitaire file sur l'eau ambrée. On se croirait au bout du monde. Ah! partir à l'aventure!

— Allons, viens, Brioche.

La fillette prend sa chatte dans ses bras. Brioche ronronne encore.

Elle est contente avec nous aussi. Valéria est rassurée.

Mais Valéria ne saura jamais ce que Brioche a fait pendant toute cette journée!

o

Valéria n'a pas bien dormi cette nuit-là. Elle a rêvé qu'elle s'était perdue dans le labyrinthe du champ de maïs. Elle s'est réveillée plusieurs fois. Au petit matin, elle a rêvé qu'elle était avec Brioche à bord du voilier jaune sur le lac ; elle voyait au loin la maison blanche au toit rouge. Sur la terrasse, Évelyne, David et Cathy lui faisaient de grands signes de la main. Valéria partait explorer un pays lointain. Elle riait. Elle se sentait légère, légère dans le vent.

Les jours suivants, Valéria a laissé Brioche aller où elle voulait. Et la chatte est revenue chaque soir dormir dans la chambre fleurie.

4

Un coin pour soi

Dans la petite maison au bord du lac, Valéria a découvert pourquoi cela est important d'avoir un coin pour soi.

Elle a eu du plaisir à voir seulement SES livres, bien alignés sur l'étagère, et à voir seulement SES vêtements dans le placard ainsi que dans la commode, sans ceux de sa sœur.

Au début de la deuxième semaine, elle a fermé sa porte et s'est rendu compte qu'elle pouvait ainsi faire ce qu'elle voulait ou ne rien faire, et personne ne le saurait! La liberté! Elle a parlé à ses amies dans sa tête et même tout haut. Elle avait beaucoup de choses à leur raconter. Elle a dansé avec et sans musique!

Elle a pu se concentrer mieux que jamais lorsqu'elle a lu. Elle a pleuré, pleuré quand c'était triste et a ri, ri quand c'était drôle...

Seule, la porte fermée, elle s'est sentie en paix.

Ni ses parents ni Cathy ne sont venus la déranger pendant ce moment de solitude.

Lorsque Valéria est enfin sortie de la chambre fleurie, Évelyne lui a souri.

— Alors, chérie, ça va? a-t-elle demandé en passant dans le couloir

Et elle a filé sans attendre la réponse. Elle savait...

o

Ainsi, Valéria a apprivoisé le silence. Celui du jour, avec de petits bruits au loin: le clocher de l'église du village, le vent murmurant dans les feuilles des grands érables et le chant des oiseaux.

Les geais, les cardinaux, les merles d'Amérique, les chardonnerets font de la musique merveilleuse! Évelyne lui a expliqué que le mâle appelle la femelle ou que la mère appelle ses petits. Ils se disent : «Où es-tu ?» «Je suis là !»

Le silence et la solitude du soir ont été un peu plus difficiles à surmonter. Valéria a appris à entendre la respiration de la nuit : l'univers sonore des criquets, du vent, de la chouette. Elle n'a pas entendu de glapissements*. Son père avait raison : il n'y a pas de renards ici. Et puis, dans la pénombre, elle a vu des étoiles énormes. Tellement belles! Et le croissant de lune était si élégant, si touchant! Tout cela l'a rassurée.

À la fin de son séjour, Valéria se sent plus sûre d'elle. Elle n'a plus peur d'être seule et sait nager sur le dos. Mais Cathy l'étonne : elle nage vraiment bien et la tête sous l'eau !

Les couleurs

La maison au bord du lac n'est plus qu'un souvenir. Depuis le mois de septembre, Valéria est en troisième année. En classe, elle a retrouvé avec plaisir ses copines Mireille et Olga.

— Valéria, tu aimerais suivre des cours de dessin et de peinture? lui avaient demandé ses parents, au retour des vacances.

— Avec Mireille, à l'atelier de Mme Claudia?

— Oui, si tu le veux.

Valéria avait accepté immédiatement. Elle imaginait tout ce qu'elle aurait envie de peindre...

Comme des voiliers portés par le vent, ses doigts sont agiles. Ses yeux voient tout. Quant à Mireille, elle est une artiste accomplie et fait déjà de l'aquarelle. Valéria espère peindre un jour aussi bien que son amie, mais il faut commencer par le commencement. Valéria doit d'abord apprendre à dessiner même si elle préférerait colorier. Elle est fascinée par le spectre des couleurs* dont elle désire apprendre tous les noms. Il y a tellement de nuances... Et toutes sont contenues dans l'arc-en-ciel, sauf le blanc et le noir.

Valéria s'applique. Même si elle a du plaisir, elle voit bien qu'elle n'a pas autant de talent que ses compagnons de classe.

Valéria doit se contenter d'essayer de recopier des modèles. Mireille, elle, dessine ce qu'elle voit dans sa tête.

Un jour, Valéria apporte à l'atelier une photo du voilier jaune sur le Lac-aux-Renards prise par une matinée venteuse. Elle fait de son mieux pour en reproduire l'image avec des crayons pastel.

Mme Claudia la félicite pour ses choix de couleurs.

— Tu as beaucoup de goût, lui dit-elle souvent.

Et Valéria persévère.

Elle est émerveillée par les beaux livres que le professeur expose dans l'atelier. Mme Claudia explique chaque semaine l'œuvre d'un peintre. Elle parle aussi de la sculpture. Que de beautés créées par ces hommes et ces femmes de tous les temps !

— L'aquarelle s'applique sur du papier blanc. Le blanc, c'est la lumière, c'est la vie, car les couleurs sont encore plus belles sur du papier blanc, explique Mme Claudia.

Ainsi, Valéria découvre enfin la beauté du blanc, des blancs. L'hiver lui semble plus majestueux que jamais.

Le tutu jaune

Valéria lit tous les soirs. Elle vogue alors vers d'autres horizons et se sent bien.

Elle suit toujours ses cours de danse classique. Les élèves préparent le gala de fin d'année. Les répétitions du dimanche commencent en mars. Cette année, Mme Irène et Mme Éliane ont opté pour *La Belle au bois dormant**, de Tchaïkovski*.

Valéria est emballée car elle aime cette histoire. Elle se souvient que les fées marraines ont chacune fait un don à la princesse Aurore lors de sa naissance : la beauté, la sagesse, la grâce, la musique. Mais la fée Carabosse, jalouse de ne pas avoir été invitée au baptême, décide plutôt de jeter un sort à l'enfant. Aurore est condamnée à mort. Toutefois, la jeune fée Lilas empêche le mauvais sort. Aurore ne mourra pas, mais elle dormira cent ans après s'être piqué le doigt sur un fuseau le jour de ses seize ans. Tragique. La princesse se réveillera grâce au baiser du prince Désiré.

Valéria connaît et aime cette musique. *La Belle au bois dormant* est sur le disque numéro 3 du coffret de disques compacts *Les Grands Ballets*, que lui a offert grand-mère Louise.

En mars, les élèves visionnent des vidéos du ballet de *La Belle au bois dormant*. Ensuite, Mme Irène fait improviser les élèves. Elle spécifie tout de suite que le rôle du prince Désiré sera tenu par Nicolas et celui de la princesse Aurore, par Marie-Luce.

— Comme vous le savez, Marie-Luce et Nicolas ont plus d'expérience. Il faut comprendre cela, mes chéris.

— Marie-Luce aura un tutu blanc? demande Valéria.

— Pour le grand mariage, bien sûr! confirme Mme Irène.

Valéria sait bien que le rôle d'Aurore est exigeant et qu'elle n'a pas le talent de son amie. Et Marie-Luce est si heureuse d'interpréter le rôle d'Aurore.

Il reste le rôle de Carabosse, vêtue de noir, qui fascine Valéria.

Il s'agit d'un rôle difficile. Mme Irène hésite à donner ce rôle à une jeune élève, car il doit être dansé sur pointes. Mais elle invite tout de même les moins expérimentées à auditionner.

Lorsque vient le temps de faire ses preuves, Valéria se concentre. Elle sent monter en elle une grande énergie. Elle est portée par la musique rapide. Son visage est crispé, ses gestes brusques. Elle pivote, comme prise dans un tourbillon. Elle s'arrête enfin et rit aux éclats. Quelle expérience! Elle ne soupçonnait pas qu'elle pouvait aimer se sentir méchante et puissante!

Mme Irène la félicite pour sa performance. Elle apprécie la fougue de Valéria, mais le rôle demeure techniquement trop exigeant pour elle. Valéria sera donc une fée, comme les autres filles de son âge. Elle est déçue, mais elle se doutait que le rôle de Carabosse reviendrait à une élève de niveau plus avancé, comme le rôle de la fée Lilas.

Le professeur fait improviser Valéria et ses copines dans la scène du baptême d'Aurore où apparaissent les autres fées : Rose, Jacinthe, Coquelicot, Violette.

Tout en dansant, Valéria réfléchit. Elle aimerait être la fée Rose... Mais le bustier et les chaussons roses qu'elle avait portés pour danser sur la musique du *Carnaval des animaux* ne lui font plus, car son corps a beaucoup changé depuis l'an dernier. Le tutu rose pourrait être remodelé. Il faudrait le couper, enlever les écailles et les nageoires de satin...

Valéria a subitement envie d'un autre costume. Elle se voit en tutu jaune... Finalement, elle aimerait être la fée Jacinthe, celle qui fait le don de la musique à Aurore. Le solo de cette fée, intitulé « Canari qui chante », lui plaît,

même si elle sait qu'il lui faudra travailler beaucoup pour danser aussi vite au son de la flûte.

Lorsque le professeur demande à chacune des fillettes quel rôle elle préférerait danser, Valéria dit avec conviction :

— Je veux être la fée Jacinthe !

Mme Irène est enchantée de ce choix.

— Vraiment, Valéria, tu sais ce que tu aimes ! Ce rôle te convient très bien. D'accord.

Reste à demander l'aide de tante Solange pour le costume.

Tante Solange est ma bonne fée marraine, se dit Valéria. *Elle a une façon spéciale de m'écouter quand je lui parle. Elle me gâte...*

Tante Solange confectionne avec amour le bustier de satin jaune et le tutu court en tulle de même couleur. Elle fabrique aussi les ailes en voile jaune, ainsi qu'une couronne et une baguette ornées de minuscules jacinthes jaunes. Elle achète les chaussons blancs et les offre à Valéria. La fillette, en costume de fée, se pavane dans la maison.

— Jolie ! Splendide ! s'exclament tous les membres de la famille.

Valéria et ses copines Annie, Marie et Sylvie travaillent très fort pour suivre le rythme. Accorder les mouvements pour la Ronde des fées leur demande une grande concentration. Valéria n'est pas très douée pour les entrechats et les pirouettes. Ses pieds s'emmêlent parfois. Heureusement, elle a beaucoup de plaisir.

Valéria s'exerce tous les soirs, dans le salon, au son du disque compact. Cette musique transporte ses pas.

— Tu as du rythme, Valéria, lui dit souvent Mme Irène.

Le jour du gala, le quintette de Mme Éliane et de ses amis se surpasse. Valéria donne tout ce qu'elle peut. Elle est fière d'elle-même.

Marie-Luce est resplendissante, même lorsqu'elle fait mine de dormir. Comme elle est heureuse dans son tutu blanc aux côtés du prince charmant! Elle deviendra certainement une grande ballerine…

Le soir, Valéria pense. *Marie-Luce a le don de la grâce. Mireille est une artiste peintre. Cathy est une nageuse-née. Je ne sais pas encore si j'ai un don. Est-il nécessaire d'avoir un don pour être heureuse? Je suis heureuse, mais quelque chose me manque et je ne sais pas ce que c'est.*

Valéria a le cœur gros, car elle se rend compte qu'elle ne connaît pas son avenir.

7

Chambre jaune

Valéria ne sait plus où donner de la tête. Les dimanches, la chasse au trésor continue. De mars à la fin juin, la famille visite treize maisons et dix condos. Chaque fois, Valéria regarde quelle serait sa chambre-à-elle-toute-seule. Aucune chambre toute blanche, mais Valéria n'y prête pas attention.

Encore une fois, les Robert-Morel ont dû remettre leur projet d'achat à l'an prochain. Valéria se souvient d'une chambre. Dans un condo, au cinquième étage, la pièce donnant sur la cuisine, peinte en fuchsia.

— Une chambre de grande fille, avait expliqué l'agent immobilier. Une belle pièce avec une vue circulaire sur le fleuve.

Valéria avait fermé les yeux, puis les murs étaient devenus jaune citron pâle comme par magie. Jaune. Souvenirs des roses trémières de la campagne, des chardonnerets, du voilier jaune, de la limonade, de son tutu jaune. Elle avait imaginé une couette fleurie de jacinthes jaunes, Brioche couchée en boule tout près de la porte, un vent léger faisant danser les rideaux à pois jaunes. Elle s'était vue le soir, lisant *Heidi**, le livre préféré de ses huit ans.

Elle a voulu cette chambre. Sa deuxième chambre-à-elle-toute-seule ou la troisième si elle comptait celle aux fleurs multicolores. Elle avait tellement hâte de retrouver sa paix, sa liberté, le silence du jour et celui de la nuit.

— Un condo. Est-ce réaliste? a demandé David.

— Les filles grandissent. Elles ont besoin d'espace, a répondu Évelyne. Et puis les chattes, ici?... Il faut bien y réfléchir.

Valéria ne comprenait pas ce qui se passait. Pourquoi visiter des condos si ce n'était pas réaliste? Elle a piqué une crise. La chambre rose, elle l'aimait, mais la chambre jaune, elle la voulait. Elle a crié :

— Allez-vous vous décider un jour? Je veux ma chambre-à-moi-toute-seule!

Elle a quitté le condo en claquant la porte. La chambre du Lac-aux-Renards lui manquait terriblement et elle rêvait souvent à son voyage en voilier.

8

La décision

Valéria désire SA chambre. Elle est prête et elle en a besoin. David et Évelyne se rendent comptent qu'il est temps de concrétiser leur rêve, sinon ils décevront Valéria et Cathy.

Ce soir-là, ils avisent leurs filles :

— En juillet 2003, nous déménagerons dans un plus grand appartement si nous ne devenons pas propriétaires.

Cathy et Valéria restent un peu sceptiques.

En attendant, Valéria a trouvé des façons d'être plus «libre», même si elle n'a pas sa chambre et ne peut encore aller à l'aventure. Elle s'évade en lisant, mais aussi en prolongeant son bain du soir. Elle monopolise également le téléphone pour parler à ses amies. Parfois, elle profite de l'absence de Cathy pour fermer la porte de leur chambre. Alors, elle danse le rôle de Carabosse, en écoutant le disque compact de *La Belle au bois dormant*. Cela la défoule à tout coup!

Il lui arrive de plus en plus de s'affirmer, parfois même d'être impertinente. Elle dit ce qu'elle aime, ce qu'elle n'aime pas. Elle négocie avec ses parents, avec Cathy et avec ses amies.

Évelyne et David sont convaincus que Valéria mûrit: elle se connaît de mieux en mieux. Elle est beaucoup moins timide et ne semble plus avoir peur du tout de la solitude.

III

**Chambre bleue
La note bleue**

2002-2006

1

À la mer

L'été de ses neuf ans, Valéria va au bord de la mer avec ses parents et Cathy. C'est quand même long, six heures de route. Le premier grand voyage de Valéria ! Elle cherche à tout voir durant le trajet. En plus, cette expédition a lieu le premier juillet, le jour de son anniversaire. Valéria est très excitée, car ses parents lui ont promis une belle fête ce soir.

— Regardez, les filles. On approche de la mer, fait remarquer Évelyne.

Valéria regarde à gauche, à droite. Des arbres, des maisons.

— Regardez devant! insiste-t-elle.

Au loin, une petite ligne bleue qui devient de plus en plus large, de plus en plus haute

— Deux kilomètres encore et nous y serons, précise David.

Tout à coup, la mer disparaît, cachée par une colline. Puis réapparaît, entière.

— Ah! s'exclament-ils tous d'une même voix.

Il y a un poste d'observation à droite. La famille y fait une halte. Valéria, Cathy, Évelyne et David sortent de la voiture et, en silence, ils regardent le spectacle qui s'offre à eux.

Tout ce bleu, tous ces bleus. La mer, le ciel. Les goélands et les nuages.

Petites touches de blanc, remarque Valéria.

Mais elle ne peut pas parler.

Et cette odeur inconnue!

Valéria est étourdie. Son cœur bat très fort. C'est l'extase! Des larmes coulent le long de ses joues.

— Magnifique! s'exclame Évelyne, visiblement émue elle aussi.

En direction de l'hôtel, Valéria ne peut détacher son regard de ce bleu, de ces bleus. Puis, elle entend la mer… et se remet à pleurer de joie.

o

Ce soir-là, au cours de la fête dans un restaurant avec vue sur la mer, Valéria ouvre grand les yeux pour voir le bleu de la mer et celui du ciel. Au bout d'un moment, ils deviennent bleu nuit et, finalement, le noir s'installe. Puis elle ferme les paupières pour mieux entendre le rythme des vagues : aller-retour, aller-retour, comme une valse.

Tout à coup, elle pense à Brioche et à Mademoiselle Caprice, en pension chez grand-mère Louise. Elles ne verront ni n'entendront cette beauté.

Brioche lui manque, mais elle est tout de même contente d'avoir la chance de passer une semaine au bord de la mer dans une chambre d'hôtel avec cuisinette et deux grands lits.

Valéria s'endort en s'imaginant dans la chambre jaune, celle du condo du cinquième étage. Parfois, elle songe à la chambre rose ou à la chambre multi-colore du Lac-aux-Renards, qui lui manque chaque soir un peu plus.

Le rêve, c'est bien, mais la réalité est encore plus agréable.

À la mer, le silence — celui du jour et celui de la nuit — est accompagné du chant des vagues. S'endormir au son des vagues, s'éveiller au son des vagues, manger au son des vagues.

Tous les matins, Valéria, Cathy et leurs parents explorent le rivage, les belles dunes. Il n'y a presque pas de végétation. Quelques herbes, quelques fleurs. Mais il y a beaucoup d'espèces d'oiseaux, ce qui ravit Évelyne, l'orni-thologue amateur.

Parfois la mer est calme, douce, parfois elle est agitée, menaçante. L'après-midi, quand le temps est beau, Valéria, en maillot jaune, Cathy, en maillot mauve, vont s'amuser dans la mer. Cathy arrive à nager la brasse et le crawl malgré les vagues. Elle plonge, rigole. Valéria se contente de flotter sur le dos et se promet d'apprendre à nager un jour.

2

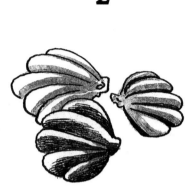

Libre

Un matin, Valéria s'éloigne de sa famille. Elle découvre un rocher avançant dans la mer. Elle l'escalade avec prudence. Seule sur ce rocher face à la mer, elle pense à la statue de la Petite Sirène*, celle du port de Copenhague au Danemark, la patrie d'Andersen*. Mme Claudia en a parlé au cours d'art. Elle a montré aux élèves des photos de cette sculpture magnifique : la Petite Sirène, immobile, toute à son admiration du bleu, des bleus de la mer et rêvant aux pays lointains, comme Valéria.

Valéria regarde Évelyne et David, enlacés, marcher sur le rivage. Les amoureux! Eux aussi semblent regarder au loin.

Sur la plage, Cathy cherche des coquillages. Elle salue ses parents avec sa main couverte de sable doré.

Tout en silence.

Tout en paix.

o

Valéria est retournée chaque jour sur SON rocher. Elle n'a même pas eu à demander à ses parents si elle le pouvait. Ils l'ont laissée aller.

Elle était libre, pas très loin... mais libre!

Elle a dansé sur la plage et sur son rocher.

Elle a fermé ses yeux pour entendre. Elle a ouvert ses yeux pour voir. Elle a fait des croquis qu'elle peindra à la maison. Elle a découvert toutes les nuances de bleu. Et les blancs de la lumière et des nuages. Elle a admiré le lever du soleil. Elle a pleuré de joie. Elle est certaine que Brioche aurait aimé voir tout cela, mais David lui a expliqué que les chats ne voient que le rouge et le vert, et juste un peu de bleu.

Ses parents lui ont offert un souvenir de leur séjour à la mer : huit tubes d'aquarelle. La gamme des bleus !

3

Au piano

Valéria travaille bien à l'école. La quatrième année, c'est beaucoup de boulot, mais elle aime apprendre. Elle suit ses cours de danse classique et ses cours d'art. Elle fait enfin de l'aquarelle. Elle travaille à partir des croquis qu'elle a faits et des photos que ses parents ont prises durant les vacances, l'été dernier. Dans sa mémoire, elle retrouve les nuances de la mer et du ciel.

Un jour, après le cours de danse classique, Valéria n'a pu résister à l'envie de s'installer au piano. Mme Éliane, l'accompagnatrice, lui a montré le do. Valéria a déposé son index droit sur la touche. Ses oreilles, son cœur, tout son corps a vibré. Ré, mi, fa, sol, la, si, do…

— Ah! j'aime la musique! s'est-elle exclamée. J'adorerais apprendre à jouer du piano!

David et Évelyne sont ravis de la demande de Valéria. Ils sont convaincus que la musique permettra à leur fille de s'épanouir encore plus. Comme les parents de la fillette ne sont pas très riches, grand-mère Viviane et grand-père Hubert leur ont proposé de payer les cours et de louer un piano, à bon prix.

Alors, maintenant, Valéria suit des cours de piano avec Mme Éliane.

Comme les vagues sur la mer, les doigts de Valéria sont agiles. Ses yeux aussi. Ses yeux lisent les notes et ses doigts font vibrer les touches du piano. Ses oreilles et son cerveau sont en éveil. Elle s'étonne elle-même. Toute cette musique qui résonne au bout de ses doigts! C'est magnifique! Les gammes, les exercices, elle préfère les faire dans la solitude. Cathy et ses parents l'écoutent de loin et la félicitent lorsqu'elle a terminé.

Elle est très fière de jouer un menuet* de Mozart*, composé quand il avait six ans. Elle sent la musique en elle.

C'est joyeux, cet air ! Et comme c'est triste, ce Requiem pour un petit oiseau *!* * se dit-elle.

Quand elle joue du piano, Valéria oublie tout ce qui se passe autour d'elle.

4

Le tutu bleu

À peine quelques jours avant Noël, Mᵐᵉ Irène emmène ses élèves au Grand Théâtre, à la représentation en matinée du ballet *Casse-Noisette**, sur la musique de Tchaïkovski. Valéria est installée au centre de la rangée A de la mezzanine*; à sa gauche, Marie-Luce; à sa droite, Annie, Marie et Sylvie, ses copines.

C'est la première fois que Valéria assiste à un grand ballet présenté par une troupe professionnelle et un véritable orchestre. Ses parents lui avaient raconté l'*Histoire d'un Casse-Noisette** lorsqu'elle était petite. Elle a voulu lire elle-même le conte la semaine précédant le spectacle. Quant à la musique de Tchaïkovski, Valéria la connaît déjà très bien.

Quel spectacle ! Le décor du Pays des neiges est somptueux. Valéria adore la Valse des flocons de neige, la reine entourée des vingt-quatre flocons, en tutus blancs.

« Tourbillons de neige, poudrerie splendide, valsant au rythme de la harpe et des violons », comme il est écrit dans le programme.

Puis, au Royaume des bonbons, la fée Dragée* apparaît dans toute sa splendeur. Le projecteur darde ses rayons sur elle. Comme elle est belle ! La Danse de la fée Dragée rappelle à Valéria le Ballet de l'aquarium du *Carnaval des animaux* !

Et cette musique délicate et si jolie…, s'extasie Valéria en reconnaissant le son du célesta.

Elle ferme les yeux pour savourer la musique et elle s'imagine en tutu bleu pervenche.

— Cathy aurait aimé Dragée. Le bleu pervenche est une sorte de mauve, chuchote Valéria à Marie-Luce.

Puis, la beauté et la grâce des douze fleurs la touchent profondément. Valéria se rend compte qu'elle adorerait être une fleur bleue pour danser avec elles cette valse entraînante.

J'aurais un tutu bleu, oui, un tutu bleu azur, se dit-elle.

— Il me faut les transcriptions pour piano de la Danse de la fée Dragée et de la Valse des fleurs ! confie-t-elle à Annie.

En quittant la salle de spectacle, Marie-Luce parle sans fin de la belle performance des danseurs. Elle s'imagine être sur scène un jour. Elle y arrivera. Valéria en est certaine.

5

Un journal
intime

Le soir de Noël, toute la famille de Valéria est réunie. Même tante Solange, la grande voyageuse, est là. Tante Solange, l'aventurière de la famille, est allée toute seule en France, en Tunisie, au Mexique et en Australie. Elle a rapporté des photos magnifiques des gens et des lieux de ces pays. Lorsqu'elle en a l'occasion, Valéria adore feuilleter les albums de tante Solange, qui lui raconte anecdotes et aventures de ses voyages.

Solange vit seule dans un appartement, un trois pièces. Une chambre, un grand salon-salle à manger, un minuscule coin cuisine et une salle de bain grande comme un aquarium. Le salon sert d'atelier. Elle y a installé un mannequin sur lequel elle ajuste les vêtements qu'elle confectionne.

C'est sur ce mannequin que Valéria avait vu, pour la première fois, sa robe blanche de bouquetière, créée pour le mariage d'oncle Charles. Elle avait alors quatre ans! C'est là aussi qu'elle avait vu son costume de sorcière pour l'Halloween. Elle avait alors cinq ans.

Dans l'album de tante Solange se trouve une photo de Cathy en lapin rose et de Valéria en sorcière qui essaie d'effrayer sa sœur en lui faisant un air monstrueux. Sur ce cliché, on voit que Cathy pleure. À côté de cette photo s'en trouve une autre, prise avant ou après cet incident. Valéria donne un tendre baiser à Cathy qui sourit. Valéria se souvient vaguement d'avoir été grondée par ses parents.

Valéria ne se rappelle pas avoir été méchante envers Cathy, qui la suit partout depuis qu'elle est capable de trotter. Cathy est mignonne avec ses cheveux châtains presque roux et ses grands yeux verts. Les deux sœurs sont devenues « inséparables ». Justement, leur mère adore les oiseaux du même nom qui vont toujours par deux...

Pour Noël, tante Solange offre un journal intime à Valéria.

— En écrivant, tu en apprendras chaque jour un peu plus sur toi-même, ma chérie, lui explique-t-elle. Tu peux aussi y transcrire de belles phrases de tes livres préférés.

Tante Solange sait à quel point Valéria aime lire. Elle est tout émue. Elle ouvre son journal et écrit à l'encre bleu pâle :

25 décembre 2002

Je m'appelle Valéria Robert-Morel.
J'ai neuf ans et demi.

Elle referme son journal. Qu'est-ce qu'elle a envie d'y écrire ? Comment cela l'aidera-t-elle à se connaître ? Elle réfléchit... Elle va chercher son *Histoire d'un Casse-Noisette* et retrouve une phrase qu'elle a aimée. Elle la copie dans son journal :

« ... au lieu de jouer comme auparavant avec ses joujoux, elle s'asseyait immobile et silencieuse, toute à ses réflexions intérieures, et [...] tout le monde l'appelait la petite rêveuse ».

Je suis rêveuse moi aussi.

Chambre blanche
sans nuit blanche

Valéria rêve souvent à sa future chambre. Le lit superposé lui semble de plus en plus inconfortable. Elle se sent coincée près du plafond. Elle négocie avec Cathy et les deux sœurs échangent leur place. Valéria dormira dorénavant en bas et Cathy, en haut. Cathy est enchantée !

Mais la chambre demeure trop petite. Le placard déborde et il n'y a plus de place sur les étagères pour les livres. Puis, Valéria ne peut pas faire tout ce qu'elle veut sans que personne ne le sache. Elle aimerait pouvoir se défouler en dansant Carabosse loin du regard des autres, dans un petit coin rien qu'à elle...

o

Le 15 février, Valéria accepte l'invitation de Marie-Luce. Elle va dormir chez elle.

o

16 février 2003

Hier soir, je suis allée dormir chez Marie-Luce, dans la chambre blanche et silencieuse dans la nuit. J'ai regardé par la fenêtre le paysage sous la neige. Comme cela était paisible! Je me suis couchée. J'ai fermé les yeux. J'ai pensé à Cathy, à ma mère, à mon père, à Brioche et à Mademoiselle Caprice. Je me suis imaginée dans la chambre rose, puis dans la chambre aux fleurs multicolores, puis dans la chambre jaune. Je me suis endormie et j'ai rêvé du voilier jaune et de l'arc-en-ciel géant du Lac-aux-Renards, le foncé. Un rêve magnifique!

Chambre blanche, sans nuit blanche. J'ai surmonté ma peur. Comme j'en suis fière! Et comme j'ai hâte d'avoir ma chambre-à-moi-toute-seule!

o

Un jour, à la fin du cours de piano, Valéria entend Évelyne discuter avec son professeur. Il est question d'acheter un piano d'occasion, de bonne qualité. Mme Éliane explique que les pianos anciens, comme le sien, ont une meilleure résonance que le piano en mélamine noire loué par les grands-parents de Valéria.

o

15 mars 2003

J'aimerais avoir un piano comme celui de Mme Éliane! Mais un piano, ça coûte cher!

2 avril 2003

Papa a obtenu une promotion. Il a maintenant un salaire plus élevé.

Mes parents, tante Solange et mes quatre grands-parents vont se cotiser pour l'achat d'un piano. J'aurai MON piano. Promis, juré!

Je suis heureuse.

Une maison de rêve
à bon prix

Mai 2003. La maison n'est toujours pas choisie. Il faudra pourtant que les Robert-Morel quittent leur appartement le 1er juillet, le jour du déménagement au Québec.

Nous allons déménager le jour de ma fête ! se répète souvent Valéria.

Elle n'en revient pas encore. Elle aura enfin sa chambre-à-elle-toute-seule.

Valéria se souvient... *Depuis que j'ai sept ans, je crois avoir visité près de cent maisons, appartements et condos avec mes parents et ma sœur ! Quand j'en parle avec elles, mes amies croient que j'exagère pour les impressionner. Cent maisons ? qu'elles me disent. Eh bien, ils sont difficiles, tes parents ! Aucune ne leur plaisait ?*

— Une maison coûte cher, très cher, fait remarquer David. Un grand condo aussi, vous savez, les filles. Il faut réfléchir !

Les visites de domiciles à vendre et à louer ont repris en février, tous les dimanches. Même s'il faisait très froid. Évelyne et David étaient stressés. Ils se demandaient si leur projet se réaliserait. Il y avait cette question essentielle des sous. En commençant les recherches plus tôt, ils espéraient trouver une maison de rêve à bon prix.

Lorsqu'il a obtenu sa promotion en avril, David a de nouveau calculé le prix qu'ils pouvaient se permettre de payer pour se loger. Maintenant, les parents sont confiants, enthousiastes. Valéria et Cathy aussi.

— Un bungalow, ce sera parfait pour nous. Trois chambres, un terrain de superficie modeste. Brioche et Mademoiselle Caprice pourront sortir à leur guise. Il faut aussi des arbres qui nous donneront de l'ombre. Nous n'irons pas en voyage cet été. Un déménagement entraîne beaucoup de dépenses, ont expliqué David et Évelyne.

Une nouvelle maison, cela vaut bien des sacrifices, ont pensé Valéria et Cathy...

8

La note bleue

Depuis février, les Robert-Morel ont visité quinze appartements, vingt bungalows, aucun condo.

o

14 mai 2003

Dimanche passé, j'ai eu un coup de foudre. Un bungalow des années 1980, en banlieue. Deuxième porte à droite. Une grande chambre aux tons jaune, orangé et vert comme chez moi. Vue sur la cour arrière, le jardin et un grand érable.

Depuis, j'habite cette chambre dans ma tête. Je ferme les yeux, puis... les murs deviennent bleus comme par magie. Je me vois le soir, lisant Anne... La Maison aux pignons verts*, *mon nouveau livre préféré. J'imagine une couette bleue avec des coquillages brodés en blanc, Brioche couchée en boule tout près de la porte, un vent léger faisant danser les rideaux blancs avec des petits pois bleus. La Valse brillante* de Chopin* les accompagne.*

Bleu... souvenirs de la mer, du ciel, du tutu de la fleur bleue. Et de la note bleue.

Un jour, Mme Éliane m'a dit : « La note bleue, voilà comment Chopin expliquait son inspiration. Il écoutait dans son cœur ce qu'il ressentait et alors la note venait, la note bleue, la note parfaite pour dire cette émotion qui l'habitait. »

Je me suis rappelé le rythme des vagues, l'océan, le bleu, tous ces bleus... Et mes larmes du premier jour... Chopin savait bien dire les choses.

Le bleu m'apaise. Après la chambre rose et la chambre jaune, je désire cette chambre bleue, ma quatrième chambre-à-moi-toute-seule, si je compte la chambre aux fleurs multicolores ou encore la cinquième, si j'ajoute ma chambre blanche, celle dont je ne me souviens pas parce que j'étais bébé.

o

Valéria a tellement hâte de retrouver sa paix, sa liberté, le silence du jour et celui de la nuit! Elle espère... Elle espère...

David a fait le décompte. Depuis le début de leurs recherches, la famille a visité soixante-trois propriétés (quarante et une maisons et vingt-deux condos) et quinze appartements. Pour un total de soixante-dix-huit visites. Quelle aventure!

Le plus bel
anniversaire
de ma vie

18 mai 2003

J'ai du mal à y croire. Mes parents ont acheté leur bungalow de rêve, celui-là même où j'ai imaginé ma chambre bleue. J'ai aimé, voulu, désiré cette jolie chambre-à-moi-toute-seule depuis si longtemps !

12 juin 2003

Marché conclu. Nous avons trouvé un piano droit magnifique, datant de

1916, avec des pattes de lion, au fini acajou. Il sera livré à huit heures le 1er juillet.

30 juin 2003
J'aurai dix ans demain, ce sera le plus bel anniversaire de ma vie.

o

Voici venu le jour du déménagement. Valéria et tante Solange arrivent à sept heures cinquante dans la nouvelle maison. À huit heures pile, le piano est installé dans le salon encore vide. Vite, Valéria étrenne son piano.

Elle a apporté une partition : elle joue la valse du *Beau Danube bleu** de Strauss*, qu'elle étudie actuellement. Elle sent les vibrations traverser son corps. Quelle sonorité dans le silence total !

Elle est émue. Elle enlace sa tante et pleure.

— Oh ! merci !

Valéria va dans sa chambre vide... Elle y reste quelque temps, seule. Elle s'apaise.

Les parents, Cathy et les grands-parents arrivent vers neuf heures, précédant de peu le camion de déménagement. Valéria court les embrasser en les remerciant pour son piano extraordinaire.

Malgré le brouhaha du déménagement, Évelyne et David tiennent à souligner l'anniversaire de Valéria. Toute la famille est déjà sur place de toute façon. Alors, ils font un grand goûter de sandwichs et de fruits. Grand-mère Louise a préparé le gâteau préféré de Valéria, le renversé aux ananas, sur lequel sont piquées dix bougies.

En plus de son piano, Valéria reçoit plein de choses pour sa nouvelle chambre : des rideaux, une couette... Elle ne s'attend pas à avoir d'autres cadeaux, mais grand-mère Louise et grand-père Jean lui donnent un grand coffre blanc pour ranger ses costumes.

— Grâce à ce coffre, ils seront aussi beaux dans cent ans ! lui dit tante Solange.

— L'exagération est de famille, réplique David en riant.

Et ce n'est pas fini ! Évelyne et David lui offrent un superbe kimono en satin bleu pastel tellement doux, tellement féminin !

— Le bleu te va bien. Tes cheveux brun foncé presque noirs et tes yeux bleus s'accordent à merveille avec ce kimono, la complimente Évelyne.

Valéria embrasse ses parents en pleurant de joie.

Cathy s'avance timidement vers sa soeur en lui tendant une petite boîte bleu outremer. À l'intérieur se trouvent dix beaux coquillages. Valéria pleure encore plus.

— Cathy, je t'aime. Je t'offrirai une aquarelle que je ferai spécialement pour toi : des fleurs mauves, oui, les campanules* de notre nouveau jardin. Cela sera parfait dans ta chambre mauve lilas.

Cathy aime toujours autant toutes les nuances de mauve. Elle essaie déjà d'imaginer sa belle aquarelle.

Mme Éliane arrive. Quelle surprise ! Elle a un cadeau pour Valéria : les transcriptions simplifiées pour piano du Ballet de l'aquarium, du Cygne du *Carnaval des animaux*, de *La Belle au bois dormant*, de la Valse des fleurs et de la Danse de la fée Dragée de *Casse-Noisette* ! Comme Valéria est heureuse !

— J'espère pouvoir les jouer un jour.

— Tu pourras, tu as le don, lui dit Mme Éliane.

Toute la famille acquiesce. Et Cathy ajoute :

— Comme le don des fées marraines.

Et tous rient.

— Tu es une artiste. Tu sens ce que d'autres ne voient ou n'entendent pas ! affirme Mme Éliane.

Valéria a alors l'impression que son cœur va exploser de joie. Elle se précipite sur son journal.

1er juillet 2003

J'ai un don ! Je suis une artiste comme Marie-Luce et comme Mireille ! Je suis très, très heureuse !

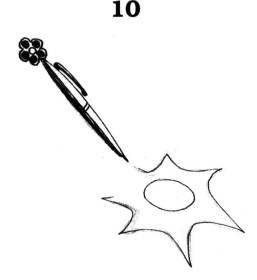

10

Chambre bleue

Valéria a très bien dormi dans sa chambre-bleue-à-elle-toute-seule. Elle était épuisée, car déménager, c'est toute une épreuve ! Quand elle s'est couchée, elle a fermé les yeux et elle s'est endormie immédiatement.

Le matin, dans les premiers rayons du soleil, la chambre bleue lui est apparue calme, majestueuse, belle.

Installée dans son lit, Valéria écrit.

2 juillet 2003

J'aime ma chambre bleue. Quand je pense au moment où j'y suis entrée hier matin, cela me rappelle un passage dans Anne...

« On y sentait battre le cœur d'une nouvelle vie, dans tous les recoins, dans tous les objets. [...] On aurait dit que tous les rêves, rêves nocturnes, rêves diurnes que pouvait imaginer l'occupante de cette pièce, avaient pris forme [...] et que la pièce nue était maintenant entièrement tapissée de merveilleux voiles tissés à même les arcs-en-ciel et les rayons de lune. »

Je ne saurais dire mieux.

J'ai choisi moi-même le ton, bleu azur, de la peinture des murs. Les rideaux sont blancs avec des petits pois bleu poudre. C'est tante Solange qui les a confectionnés. La couette est bleu cobalt avec des coquillages brodés en blanc... Grand-mère Viviane et grand-père Hubert ont ratissé tous les magasins de la ville pour en trouver une exactement comme je la voulais.

Sur les tablettes de mon étagère blanche sont alignés tous mes livres, dont Mary Poppins, Heidi *et* Anne... La Maison aux pignons verts. *J'ai ajouté* La Petite Sirène, La Belle au bois dormant *et* Histoire d'un Casse-

Noisette, *les contes de mon enfance. Mes disques compacts sont bien en vue sur ma commode blanche. Ah! comme cela me plaît!*

Dans le placard, j'ai rangé mes vêtements suivant l'ordre des couleurs de l'arc-en-ciel (violet, indigo, bleu, vert, jaune, orangé et rouge). Complètement à gauche, j'ai mis mes vêtements blancs; complètement à droite, mes vêtements noirs. Une fantaisie qui a bien fait rire mon père. Mais enfin quoi, je suis libre de les placer comme cela me chante!

Tante Solange m'a aidée à placer mes costumes dans mon coffre blanc: mon tutu rose de poisson, les chaussons; mon tutu jaune de la fée Jacinthe, les chaussons, la couronne, la baguette. Et, en imagination, j'ai déposé aussi le tutu bleu azur de la fleur de Casse-Noisette. Tante Solange a bien vu que je pensais, mais elle ne savait pas à quoi. Cela demeurera mon secret.

Le tutu noir « invisible » de Carabosse est « rangé » à droite dans mon placard. J'en ai encore besoin.

o

Dans la nouvelle maison, Brioche et Mademoiselle Caprice ont fait la paix.

Elles ont tout l'espace qu'il leur faut et n'ont plus à se faire la tête. Après les vacances à la campagne, Brioche avait repris ses habitudes et n'avait pas cherché à sortir de son territoire. Aujourd'hui, Brioche est partie toute la journée! Mademoiselle Caprice a exploré le jardin, fait le tour de la maison et est revenue. Elle est plutôt casanière.

Cela fait deux ans maintenant que Mademoiselle Caprice est arrivée dans la famille. Elle est adulte. Dans l'ancien appartement, elle avait inventé un jeu pour taquiner Brioche. Mademoiselle Caprice courait à la cuisine et faisait semblant de grignoter dans le plat de Brioche qui arrivait sur-le-champ. Alors, elles s'expliquaient en miaulant et faisaient le gros dos. Depuis, Brioche respecte de plus en plus Mademoiselle Caprice. Les deux chattes ont dormi ensemble hier soir.

Maintenant que Valéria et Cathy ont chacune leur chambre, Brioche et Caprice se rapprochent. La famille atteint ainsi un nouvel équilibre.

11

Totalement
heureuse

Deux septembre. Valéria commence sa cinquième année. Elle va à l'école de son nouveau quartier. Elle s'ennuie de Mireille et d'Olga, mais elle les invitera à dormir dans sa chambre, car elle a un lit gigogne*.

Valéria invitera aussi Marie-Luce qui a maintenant quatorze ans. Celle-ci fera partie de la distribution de *Casse-Noisette* au Grand Théâtre, cette année. Elle a obtenu le rôle d'un flocon de neige, en tutu blanc, bien sûr. Le début d'une grande carrière qu'elle mérite ! Elle est tellement gentille et jolie. Mais surtout, quel talent !

○

2 septembre 2003

Entre la peinture, la danse classique et le piano, mes parents m'ont demandé de choisir un seul cours à cause des frais. Mon choix est facile. Je vais cesser les cours d'art et les cours de danse. J'aime la danse parce qu'elle est musique avant tout. J'aurai plus de temps à consacrer à mon piano.

Je peux peindre et danser quand cela me plaît, pour me détendre. Quant à la musique, je ne peux concevoir ma vie sans elle : j'ai trouvé ce qui me manquait pour être totalement heureuse.

Mes parents paieront les cours. Je serai toujours reconnaissante à grand-mère Viviane et à grand-père Hubert d'avoir payé ma première année de piano.

Ma mère m'a dit :

— Tu as fait le bon choix. C'est ta passion, ma chérie ! Va aussi loin que tu pourras sur cette voie !

J'étais un peu stressée hier. Je me sentais comme Carabosse, mais le silence de la nuit m'a apaisée.

— L'imagination et les bons sentiments meublent le silence, m'a expliqué tante Solange.

Maintenant, j'aime être avec Cathy. J'aime être seule. Elle aime être avec moi. Elle aime être seule. Elle passe beaucoup de temps dans SA chambre.

o

Le sous-sol a été converti en salle de «mise en forme» pour toute la famille. Cathy fait trente minutes par jour de vélo stationnaire. Pour Valéria, David a installé de grands miroirs et une barre d'entraînement. Lorsqu'elle vient lui rendre visite, Marie-Luce lui apprend de nouveaux mouvements. Elles dansent ensemble. Elles rient beaucoup! Marie-Luce adore leur maison aux merveilleuses couleurs. Elle a décidé de faire repeindre sa chambre. Elle ne sait pas encore quelle couleur elle choisira...

o

1er février 2004

Maintenant, je peux danser dans le sous-sol au son de tous mes airs préférés. Quel plaisir de danser sur un air que je sais jouer au piano, comme si je vivais ma musique.

Je porte, en imagination, le tutu noir pour les pièces vives et passionnées, le tutu bleu pour les pièces tendres, le tutu jaune pour les pièces joyeuses et énergiques, parfois aussi le tutu rose pour les pièces naïves, « à l'eau de rose ».

12

La musique est
ce qui rapproche

1er juillet 2004

J'ai onze ans aujourd'hui.

Ma chambre bleue me convient toujours parfaitement. Je crois que je ne la changerai jamais. Elle me manque lorsque je vais dormir chez mes amies, mais nous avons tant de plaisir à nous voir et tant de choses à nous raconter !

J'adore aussi notre grand salon. Mon piano y résonne de façon merveilleuse.

○

Cela fait un an que les Robert-Morel habitent leur maison. Valéria aime s'installer au jardin. À l'ombre du grand érable, elle lit paisiblement *Le Jardin Secret**. Les deux sœurs ont vu le film tiré de ce roman et, depuis, Cathy s'intéresse aux fleurs. Elle veut tout savoir à leur sujet et se plonge dans les livres de botanique*.

— Tu sais, Valéria, les jacinthes jaunes sont rares, a-t-elle très sérieusement expliqué. La plupart sont roses, bleues ou mauves!

Cet été-là, Valéria suit un cours de natation. Elle réussit enfin à nager la tête sous l'eau.

Le dimanche après-midi, avec ses parents et Cathy, Valéria écoute de la musique classique, du jazz, du blues, du tango, du country et de la musique populaire. Ils lisent, grignotent, bavardent. Parfois, tante Solange se joint à eux. Les grands-parents Robert et les grands-parents Morel aussi. Valéria leur joue quelques pièces au piano.

Je pourrai bientôt leur jouer du blues, du tango, du jazz, se promet-elle.

o

20 novembre 2004

Un proverbe chinois dit que la musique est ce qui rapproche, répète souvent grand-père Jean.

Mme Éliane est d'accord : « Oui, la musique rassemble les personnes, mais aussi elle unit la personne à l'intérieur d'elle-même : son corps, son esprit, son cœur. »

Je crois comprendre.

13

Nuances de bleu

Un soir, Évelyne confie à Valéria :

— Quand je suis triste ou que j'ai besoin de calme, j'écoute de la musique de chambre*. Le tango et les valses, c'est plutôt quand je me sens gaie et amoureuse. Pour le jazz, je peux être gaie ou triste.

— Et la Cinquième Symphonie* de Beethoven* ?

— Elle me permet de reprendre mes esprits lorsque je suis bouleversée ou en colère, répond sa mère, les joues roses et les yeux brillants.

Valéria pense… Mme Éliane m'a expliqué que la note bleue n'est pas toujours calme. Elle est comme la mer, parfois paisible, parfois menaçante. Il existe tant de nuances de bleu.

Je me souviens d'un jour où maman a écouté trois fois de suite la Cinquième Symphonie de Beethoven. Que s'était-il passé ? S'était-elle querellée avec papa ? Ou avait-elle eu une mauvaise journée au travail ? Au fond, cela ne me regarde pas.

Je crois que je pourrais danser le premier mouvement de la Cinquième Symphonie en tutu noir.

Et elle court au sous-sol avec le coffret de disques compacts *Les neuf symphonies de Beethoven*.

14

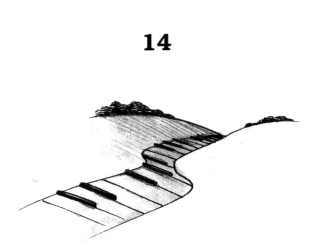

Le tutu blanc

Les vacances passent comme un éclair. En juillet, les Robert-Morel vont encourager Cathy qui participe à des compétitions de natation. Elle remporte la médaille d'or au cent mètres style libre. C'est une véritable athlète!

En août, Valéria va au camp musical de l'Anse-aux-Outardes, le long du golfe Saint-Laurent. Elle retrouve avec bonheur l'air salin, le bleu du ciel et celui de la mer, le rythme des vagues. De plus, elle se fait beaucoup d'amis musiciens avec lesquels elle partage la même passion. Une fois son séjour terminé, elle est transformée.

o

20 août 2005

Au camp, pour la première fois de ma vie, à douze ans, j'étais seule, sans famille, au loin. Même si j'ai d'abord été triste à l'idée de quitter mes amies, mes parents, Cathy, Brioche et Mademoiselle Caprice, j'ai adoré l'expérience.

J'ai bien toléré le silence et la solitude de la nuit. J'aime le silence. C'est parfois la seule musique qui me convienne : écouter le silence, comme maintenant, alors que j'écris.

Le silence est une note bleue. J'en suis sûre.

Tante Solange aime bien cette idée de la note bleue. Elle croit que cela a beaucoup à voir avec la connaissance de soi, quand nous prenons conscience de nos sentiments.

D'après elle, cela est également lié à l'amour et à l'amitié, quand nous comprenons ce que les autres ressentent.

Elle parle souvent du bonheur et de la communication. Elle se passionne pour la « psychologie », l'étude du comportement des êtres humains.

130

P.-S. Je viens de retrouver un passage de La Petite Sirène *auquel j'ai pensé en partant pour le camp :*

« Elle put voir le château de son père... tout le monde dormait sûrement... elle allait se séparer d'eux à tout jamais. Il lui sembla que son cœur allait se briser de chagrin. Elle [...] lança du doigt mille baisers vers le château, et monta au travers de la mer bleu sombre. »

Mon chagrin était immense, mais j'ai survécu.

o

1ᵉʳ septembre 2005

Je suis entrée à l'école secondaire ce matin. J'étais nerveuse hier, comme c'est toujours le cas la veille de la rentrée. J'avais hâte, mais j'étais aussi un peu triste, car je me suis rendu compte que je n'étais plus une petite fille.

Maintenant que je suis adolescente, je « possède » un tutu blanc imaginaire magnifique. Je l'ai « endossé » pour la première fois pour danser le ballet Les Sylphides* *avec Marie-Luce dans le sous-sol de notre maison. Une sylphide est un être surnaturel paré d'ailes de papillon. Ah ! le romantisme,* *l'amour, la poésie ! Et quel hommage à Chopin : un prélude*, un nocturne*, trois valses et deux mazurkas* joués par un orchestre symphonique ! J'adore ! Comme j'aimerais assister à ce ballet. Un jour, je saurai jouer toutes ces pièces au piano.*

Je « place » mon tutu blanc dans mon placard, à gauche, bien entendu. Mon costume de Carabosse est encore « rangé » dans mon placard, à droite. Je m'en « sers » régulièrement... « Ah, l'adolescence ! » disent souvent mes parents en souriant.

o

Valéria commence sa quatrième année de piano. Elle adore choisir une pièce selon son émotion du moment. Elle se sent alors très proche du compositeur. Elle croit percevoir sa note bleue. Des images défilent dans sa tête. Valéria se raconte une histoire avec des paysages colorés, sombres, lumineux, inquiétants ; avec des personnages, parfois des danseurs qui suivent le rythme. Chaque phrase musicale répond à la précédente. Ses mains dialoguent. Elles s'accordent pour créer l'harmonie. Il y a des surprises comme dans les histoires. Il y a de l'émotion comme dans la vie.

Valéria a un faible pour les airs mélancoliques. Ceux-ci lui rappellent le jour où elle a cru perdre Brioche pour toujours et sa première nuit blanche dans la chambre blanche de Marie-Luce.

15

Une artiste

16 janvier 2006

Dans mes rêves, il m'arrive souvent d'entendre de la musique, celle que je connais. Ce matin, au réveil, je me sentais paisible, heureuse, légère, comme si mon corps, mon esprit et mon cœur étaient unis en un accord parfait. Je me suis souvenu que j'avais rêvé de la mer : Brioche était installée sur MON rocher. À l'horizon, le soleil se levait. Au loin, un voilier jaune voguait à vive allure. Des flamants

135

roses s'ébattaient dans une lagune aux reflets roses. Sur la plage, je dansais une valse que je ne connaissais pas en tutu blanc avec Marie-Luce, Annie, Marie et Sylvie.

Dans la quiétude de MA chambre, j'ai senti ma première note bleue !

J'ai couru au salon jusqu'au piano et j'ai joué les premières mesures de ma première « œuvre » : Opus* 1 en do majeur !

Je me suis empressée de les transcrire dans mon cahier de dictée musicale. J'écrirai cette valse lente et aussi une variation fantaisiste rapide et joyeuse.

Mme Éliane me dira ce qu'elle en pense.

o

Valéria travaille pendant plusieurs mois, en secret, avec la complicité de son professeur.

Un dimanche, Valéria s'installe au piano, comme d'habitude, et joue la Valse en couleurs.

Évelyne, David, Cathy, les quatre grands-parents et tante Solange sont touchés par cette jolie mélodie. À la fin, ils applaudissent chaleureusement.

Valéria a l'impression de flotter sur un nuage. Elle leur apprend seulement à ce moment qu'il s'agit de sa création.

Alors, la famille vit un grand moment de bonheur.

Valéria sent maintenant qu'elle est une véritable artiste. Toute sa vie, elle cherchera et chérira les notes bleues.

Lexique

Andersen, Hans Christian (1805-1875) : auteur danois, connu pour ses contes, dont « La Petite Sirène ».

Anne... La Maison aux pignons verts (*Anne of Green Gables*) (1908) : roman de Lucy Maud Montgomery, auteure canadienne de l'Île-du-Prince-Édouard. Anne, orpheline, va vivre à la campagne, près de la mer, dans la Maison aux pignons verts. La jeune fille est rousse et a un caractère fort qui lui cause quelques problèmes. Elle aura enfin une famille, une « amie de cœur » et un amoureux. Elle va devenir professeur et écrivain. Il s'agit d'un des romans pour la jeunesse les plus lus dans le monde entier.

Arabesques : en danse, position où le danseur lève une jambe vers l'arrière et tend le ou les bras en avant.

Beau Danube bleu, valse du (1867) : le Danube est un grand fleuve traversant plusieurs pays d'Europe dont l'Autriche, patrie de Johann Strauss, compositeur de cette superbe valse.

Beethoven, Ludwig van (1770-1827) : célèbre compositeur allemand.

Belle au bois dormant (1890) : ballet de Tchaïkovski qui s'inspire du conte de Charles Perrault (1697) dont l'histoire est relatée dans le présent roman. La chorégraphie originale est de Marius Petipa. Pour la noce d'Aurore, Tchaïkovski et Petipa ont ajouté de merveilleux solos et « pas de deux » (duos) des personnages de contes dont le Chat botté, l'Oiseau bleu, le Chaperon rouge.

Botanique : étude des végétaux dont les plantes, les fleurs.

Campanules : fleurs bleu-mauve en forme de clochettes.

Cancan : danse connue pour ses mouvements rapides des jambes exécutés par des danseuses aux robes froufroutantes.

Carnaval des animaux : fantaisie musicale de Camille Saint-Saëns (1886). Il a composé de superbes pièces dont les airs rappellent les cris ou les pas des animaux qui se rendent à une fête, le carnaval.

Casse-Noisette, ballet (1892) : ce ballet dont la musique est de Tchaïkovski est inspiré du conte *Casse-Noisette et le Roi des souris* de E.T.A. Hoffmann (1816). La chorégraphie originale est de Marius Petipa.

Célesta : instrument proche du xylophone, produisant des notes aiguës.

Chopin, Frédéric (1810-1849) : compositeur et pianiste polonais, connu comme le plus grand des Romantiques. Son œuvre est consacrée au piano.

Cinquième Symphonie de Beethoven (1808) : musique pour grand orchestre du fameux compositeur allemand, écrite alors qu'il devenait sourd. Beethoven a créé neuf symphonies. La Cinquième Symphonie est connue pour les quatre notes de son ouverture puissante.

Enfant au tambour (1959) : chanson très connue pour son air et ses paroles : « Sur la route, parum pum pum pum... »

Entrechats : en danse, saut vertical avec croisements rapides des pieds.

Fée Dragée : personnage de fée du Royaume des bonbons (voir Casse-Noisette). En anglais, elle porte le nom de *Sugar Plum* (prune au sucre) *Fairy*, ce qui explique la couleur mauve du tutu de la danseuse. Une dragée est un bonbon fait d'une amande ou d'une noisette enrobée de sucre.

Foulée : trace qu'une bête laisse sur le sol.

Glapissements : cris du renard.

Heidi (1880) : célèbre roman de l'auteure suisse Johanna Spyri. Heidi, orpheline, va vivre chez son grand-père à la montagne. Elle va ensuite en ville tenir compagnie à Clara, enfant qui ne peut plus marcher. Heidi l'aidera à guérir grâce à sa bonne humeur et à sa gentillesse.

Histoire d'un Casse-Noisette, conte (1816) : conte de E.T.A. Hoffmann. Clara reçoit à Noël un casse-noisettes en forme de soldat. Durant la nuit, elle rêve que le casse-noisettes est devenu un prince charmant qui combat l'armée des souris. Il emmène la jeune fille dans des royaumes merveilleux, le Pays des neiges, le Royaume des bonbons. Ballet présenté durant la période de Noël dans toutes les grandes villes du monde.

Ichtyologie: étude des poissons.

Jardin secret (1909): célèbre roman de l'auteure anglo-américaine Frances H. Burnett. Mary, devenue orpheline, vit chez son oncle. Elle découvre la clé d'un jardin abandonné où il est interdit d'entrer. Mais elle ne peut résister à son envie de le visiter. Elle aidera son cousin malade à reprendre goût à la vie en défrichant le jardin et en y cultivant de nouvelles fleurs.

Lit gigogne: lit de petites dimensions emboîté dans un autre lit. Pour y dormir, il suffit de l'ouvrir comme un tiroir.

Mary Poppins (1934): roman de Pamela L. Travers. Mary Poppins se présente chez les Banks, munie d'un parapluie porté par le vent. Elle a des dons mystérieux, comme une magicienne. Elle devient la gouvernante adorée de Michael et de Jane Banks qui, grâce à elle, vivent des expériences extraordinaires.

Mazurkas: pièces musicales à trois temps, inspirées de la danse polonaise du même nom.

Menuet: un menuet est une pièce musicale à trois temps. C'est aussi, une danse de bal.

Mezzanine: plate-forme au-dessus du sol à laquelle on accède par un escalier.

Mozart, Wolfgang Amadeus (1756-1791): compositeur allemand. Enfant prodige, devenu un des plus grands compositeurs de tous les temps. Créateur de nombreux opéras célèbres, dont *La Flûte enchantée*, et de quelques centaines d'œuvres de tous les genres.

Musique de chambre: musique écrite pour un petit nombre de musiciens.

Nocturne: pièce instrumentale mélancolique.

Opus: terme suivi d'un numéro désignant une œuvre d'un compositeur selon l'ordre chronologique de ses créations.

Ornithologie: étude des oiseaux.

Petite Sirène, conte (1837): dans ce conte d'Andersen, une jeune sirène est amoureuse d'un prince. Dans l'espoir de l'épouser, elle quitte sa famille après avoir été transformée en femme par une sorcière.

Petite Sirène, statue (1913) : à l'entrée du port de Copenhague, capitale du Danemark, se trouve une sculpture, créée par Edward Eriksen, qui représente la Petite Sirène.

Pointes : en danse, manière de se tenir sur l'extrémité des orteils tendus verticalement dans des chaussons à bout rigide.

Prélude : pièce en introduction à une œuvre instrumentale.

Quintette : ensemble composé de cinq musiciens.

Requiem pour un petit oiseau : pièce de Gustave Sandré. Un requiem est une pièce inspirée d'une prière pour les morts.

Roses trémières : plantes à très haute tige produisant de grandes fleurs, appelées aussi primeroses.

Spectre des couleurs : suite des couleurs obtenue par la décomposition de la lumière à travers un prisme. Ce phénomène est similaire à celui des rayons du soleil (lumière) qui traversent les gouttes de pluie (prisme) et produisent un arc-en-ciel (spectre des couleurs).

Strauss Johann (1825-1899): célèbre compositeur autrichien.

Sylphides (1906-1907): ballet intitulé d'abord *Chopiniana*. Sept œuvres de Chopin ont été orchestrées par cinq musiciens, dont le compositeur Igor Stravinski.

Tchaïkovski, Piotr Ilitch (1840-1893): compositeur russe, célèbre pour sa musique de ballet et pour ses opéras.

Valse brillante de Chopin (1831): une valse est une pièce en trois temps. C'est aussi une danse sur ce rythme. La Valse brillante de Chopin est l'opus 34 n° 2.

Table des matières

III Chambre bleue
La note bleue 2002-2006

Diane Vadeboncœur

Diane Vadeboncœur est psychologue au Centre hospitalier universitaire Sainte-Justine (Montréal). Elle est à l'écoute des enfants, des adolescents et des parents depuis 1980. Elle se passionne aussi pour la lecture et pour la musique. Depuis quelques années, elle s'est mise à l'écriture de romans pour la jeunesse, un secret connu seulement de ses proches et de ses amis. *Valéria et la note bleue* est son premier roman jeunesse.

Derniers titres parus dans la
Collection Papillon